秋風五丈原

導讀文字：金　朝

繪　　圖：李成立

萬里機構・萬里書店出版

編輯：莊澤義・王淑萍
書名題簽：黃　天

⑨「古書今讀」之《漫畫三國演義》系列

秋風五丈原

導讀文字
金　朝

繪　圖
李成立

出版者
萬里機構・萬里書店
香港九龍土瓜灣馬坑涌道5B-5F地下1號
電話：25647511
網址：http://www.wanlibk.com
電郵地址：wanlibk@enmpc.org.hk

發行者
萬里機構營業部
香港九龍土瓜灣馬坑涌道5B-5F地下1號
電話：25623879　　傳真：25909385

承印者
美雅印刷製本有限公司

出版日期
一九九五年七月第一次印刷
一九九九年八月第五次印刷

古書今讀叢書

　　我們的國家，有著數千年的文明。這數千年的文明，用各種各樣的方式記載下來，我們在神州大地上遊覽，為甚麼腳步不時會不由自主地再三猶疑，不忍遽然離去？那就是因為，中華民族的數千年文明以各種面貌出現在我們的跟前，或者是肅立的一個亭子，或者是既流動又凝固了的書法，或者是一彎雖然已經老去卻仍在努力的小橋，甚至，那不過是一塊不起眼的殘片，只是，對我們來說，這已經足夠。

　　我們當然不會忽略書籍這樣的一種載體。能夠一直流傳下來的老書，就是古書了。古書，我們不會嫌多；事實上，流傳下來的古書也是不多的。這事情裏面，有著一種必然，那是大浪淘沙的必然。大浪，沒有把一切都淘空淘盡，而且讓我們曉得了，甚麼是值得好好珍惜的寶貝。

　　文明與智慧同在，文明也與寬容同在。時間的流灑，是一種滋潤，使我們的寶貝愈發有著動人的光澤，愈是親炙這樣的寶貝，我們便愈是容光煥發。「古書今讀叢書」出版的目的，便是希望藉著這套叢書的出版，使更多的讀者能親炙這樣的寶貝，得到不同程度的潤澤。由於種種原因，今人讀古書，會有這樣那樣的困難，成為一種阻隔，所以我們以導讀文字輔以漫畫的方法，構築成一彎「拱橋」，讓讀者能愜意地走過去，只要一伸手，就可以觸及那光澤。毫無疑問地，構築這樣的一道「拱橋」，是一項大工程。我們不希望曲解古書，也不要隨意或任意的所謂闡釋，但與此同時，又要於讀者有用，因為這樣，工夫就多了。工夫雖然多，我們樂於這樣去做，同時深願讀者也樂於見到這套叢書的出版，甚麼時候，也為這「拱橋」鼓鼓掌。

出版説明

費仲

張郃

姜維

秋風五丈原

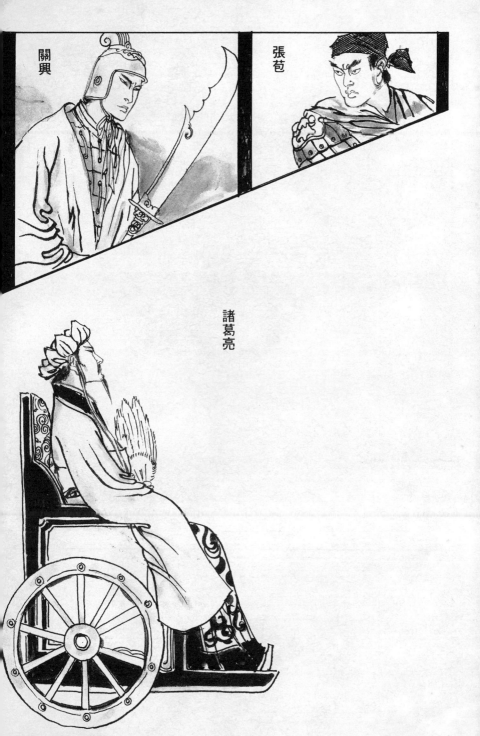

關興

張苞

諸葛亮

3

《三國演義》 主要人物

名、字、號簡表

名	字	號，以及書中對他的其他稱呼
劉備	玄德	劉皇叔、劉豫州、先主
關羽	雲長	美髯公、漢壽侯
張飛	翼德	
董卓	仲穎	董太師
呂布	奉先	呂溫侯
曹操 (小名：阿瞞)	孟德	老瞞、曹老瞞
孫策	伯符	小霸王
孫權	仲謀	碧眼兒
徐庶	元直	
諸葛亮	孔明	伏龍、臥龍先生、武鄉侯
趙雲	子龍	
魯肅	子敬	
周瑜	公瑾	周郎、周都督
黃蓋	公覆	
龐統	士元	鳳雛先生
張遼	文遠	
魏延	文長	
黃忠	漢升	
馬超	孟起	
楊修	德祖	
司馬懿	仲達	
龐德	令明	
呂蒙	子明	
陸遜	伯言	
曹丕	子恒	
姜維	伯約	
劉禪	小字阿斗，公嗣	後主
廖化	元儉	
鍾會	士季	鍾司徒
鄧艾	士載	

目　次

一

石亭之戰

爲甚麼會步入死胡同

魏蜀吳三國，到了孔明藉着空城計的成功，回到西蜀爲止，由於沒有一國能佔得絕對優勢，卻又都野心勃勃，要吞併其餘兩國，所以戰火不斷。

魏蜀吳爲何戰火不息

這當中，自曹操挾天子以令諸侯開始，魏國便一直要一統天下；劉備和孔明則抱着要回復大漢江山的觀念，孜孜不倦地爲此而奮鬥；至於東吳，則虎視眈眈，即使是在聯合西蜀以對抗北魏的時候，所考慮的，也還是自己的利益。

孔明退回西蜀，北魏急切間也攻不進去，兩國暫時便處於休戰的狀態，而另一方面，北魏卻要打東吳的主意，東吳的周魴則對北魏的曹休說，東吳可以攻取，引誘曹休深入東吳。東吳的陸遜再度受命作爲主帥，要擒得曹休的三路大軍。

周魴密函的幾經推敲

東吳能否成功，要看兩點，第一，周魴如何能取得曹休的信任；第二，曹休的才幹如何。

周魴是寫了一封信給曹休，裏面說了七件事，足以支持他的東吳可攻之論，曹休讀了，覺得「深爲有理」，

所以上表曹叡，出兵東吳。司馬懿讀了那封密函，也對曹叡說：「此言極有理，吳當滅矣。臣願引一軍往助曹休。」這可見，周魴的那一封信，是下了很大功夫的。不過，建威將軍賈逵則說，周魴那樣做，必是不懷好意的。

賈逵跳過了那封密函

曹休和司馬懿都看不出周魴的信有問題，為甚麼獨是賈逵能看得出來呢？主要的一點，是賈逵不看周魴的信，他看的是：「吳人之言，反覆不一，未可深信。周魴智謀之士，必不肯降。此特誘兵之詭計也。」

觀後來事情發展，我們知道，賈逵對周魴此舉的看法是十分準確的。周魴要取信於曹休和魏國的決策者，他所寫的一封密函一定經過仔細推敲，如果光是在密函裏挑剔，縱使是司馬懿，也是不容易看出破綻來的。賈逵跳過了那封密函，從吳人的習性和周魴的特質去看，便可以得出截然不同的結論了。

割髮擲地無聲勝有聲

一般而言，小的（如周魴的那封信）總是服從於大（如吳人的習性）的，賈逵把握住的，就是這一點。他

以為，那封信，根本不是重點所在。賈逵就是因為離開了那封寫得極好的信，才看得比司馬懿和曹休等人都要清楚。

曹休後來試探了周魴一下，周魴以劍割髮擲地——儘管無聲，卻勝有聲。「身體髮膚，受諸父母，不可毀傷」，古人對父母所遺的身體髮膚，是十分重視的。因為這樣，周魴的割髮，便是極有分量的了。

這末一來，曹休對周魴的說話，便深信不疑，在進兵東吳途中，他屯兵於石亭，也是聽從了周魴的意見，而，周魴提那樣的意見，卻是因為陸遜在石亭設下了伏兵。

不曉得自己處身戰場

曹休的大敗，還有以下兩個原因。

第一，曹休知道自己中了周魴的計，還是照樣進兵，絲毫沒有改變自己的部署，他是以為中了計「亦不足懼」；

第二，他要以奇兵來對付吳兵，時間卻是安排在次日，陸遜則在當天晚上便前來攻打曹休的營寨。

曹休的反應是那樣的遲鈍，要不失敗，幾乎是不可能的。曹休似乎不曉得自己是處身於戰場——不可能的事就在他的身上發生了。在我們的身上，也可以發生這

樣的不可能發生的事，這是值得我們引以爲鑑戒的。

曹休大敗之後，鬱結成疾，不久便死去。

「勝負乃兵家常事」，可是，曹休此敗，卻完全是敗在自己的手上，與人無尤，所有不是，都集結在自己的身上，結果便是致自己於死地。

大將郝昭，武藝高強，深通兵法，派他鎮守陳倉要道，足可抵禦孔明。

好！

諸葛亮積極準備北伐的消息傳入洛陽，曹叡忙召司馬懿商議對策。

朕封你為鎮西將軍，前去守御陳倉古道。

遵命！

這是東吳的詭計，且莫上當。

周魴很有誠意，臣願領兵去助曹休。

有這種可能，但不能因此錯失良機！

不久，揚州大都督曹休派人向曹叡上了一道表章。

東吳鄱陽太守周魴欲降……東吳一舉可滅

你倆分頭領兵去助曹休，見機行事！

是！

曹叡命曹休出兵皖城，司馬懿和賈逵也分別率軍出發。

周魴獻計誘敵，你們有何高見？

此戰至關重要，非陸遜不能擔當這個重任。

報！魏軍分三路而來！

全國軍馬由你統率，朕等候你的捷報。

孫權封陸遜為輔國大將軍。

陛下放心……

好的！

臣保舉朱桓、全琮為左、右都督，一起率兵。

陸遜、朱桓、全琮率領江南七十萬大軍前往皖城。

14

這次如滅了東吳，你的功勞可不小啊！

哪裏，哪裏……

曹休大軍已近皖城時，周魴從鄱陽趕來拜見。

周魴大哭，拔出劍來，裝出要自刎的樣子。

不過有人說你慣於用計，這次莫非也是……

我是說着玩的，你何必認真！

曹休慌忙去奪寶劍，周魴死命不放。

我用赤誠待都督，都督卻故意戲弄我。魏武帝曾割髮代首，我今天也割髮表明心意！

曹休不再懷疑周魴。

曹休，這個笨蛋，死期不遠了！

席後，周魴告辭離去。

東吳在皖城可能駐有重兵，都督不能輕進。我願領兵夾攻，大破吳兵。

你來幹甚麼？

第二天，賈逵領兵來見曹休。

夾攻？你是前來搶功的吧！

周魴割髮爲誓，這是詭計！都督別中了他的計！

我正要進兵，你卻來動搖軍心。來人！推出斬了！

眾將上前討情，曹休才赦了賈逵，留他在軍中調用。

曹休不聽
賈逵之言，
天助我也！

周魴秘密派人到
皖城報知陸遜。

曹休必從
石亭而來。
徐盛，你
率軍一萬
爲先鋒，
前去迎擊
魏軍！

陸遜又搶佔了石亭山口，
佈下陣勢，嚴陣以待。

這時，曹休命周魴帶路，直撲皖城！

石亭山。山前空闊，可以紮營。

前面是甚麼地方？

報！前面有吳兵據守山口，吳軍先鋒徐盛正領兵殺來。

曹休毫不懷疑，率軍來到石亭紮營。

報！
周魴
溜走
了。

我
中
計
了！
——
即是
如此，
也不
足懼。

周魴說沿途
沒有吳兵，
這是怎麼回
事，快去把
他找來。

兩軍對陣，
張普和徐盛大戰。

曹休令大將
張普爲前鋒，
率兵去和吳兵交戰。

未戰幾合，
張普敗退。

20

沒關係，我用奇兵勝他！

徐盛勇不可擋，無法取勝。

張普、薛喬各率二萬人馬在石亭南、北設下埋伏，明天我引兵搦戰詐敗，三面夾攻，必獲全勝。

是！

當晚，兩將各自領兵前去埋伏。

21

這時，陸遜也在調兵遣將。

朱桓、全琮，你倆各自領兵抄山路到魏軍寨後，放火劫營！

是！

三路軍馬，分頭行動。

是！

徐盛，你從正面直攻曹休大寨！

二更時分，朱桓率軍抄到魏軍寨後，正遇張普的伏兵。

朱桓手起刀落，將張普斬於馬下。魏兵大亂，紛紛逃命。

衝啊

殺啊

放火燒營

兩人大戰。薛喬擋不住吳兵的攻勢，殺開一條血路，逃向曹休大寨。

全琮率軍抄到魏兵寨後，正遇薛喬伏兵。

朱桓、全琮兩軍滙合，直撲曹休大寨。

立刻傳令退兵！

報！張普被殺，薛喬兵敗，吳兵正從前後殺來！

霎那間，吳軍追兵殺到。魏兵倉皇逃命。

曹休，你跑不了啦！

曹休帶領殘兵，往夾石道奔逃，徐盛又迎面殺來。

都督快衝出去，我來斷後。

我錯怪你了，結果遭此慘敗！

曹休轉向一條小路，賈逵領兵前來救應。

曹休拍馬先走。

徐盛怕魏兵有埋伏，收兵撤回。

賈逵在樹林深處，遍插旗幟作疑兵，迷惑徐盛。

司馬懿聽到曹休大敗的消息，也引兵退去。

曹休敗回洛陽，悔恨交加，不久病亡。

陸遜率軍勝利班師。孫權大擺筵席，並特別嘉獎了周魴，封他爲關內侯。

曹休大敗，魏國喪膽。主公可遣使入蜀，一來顯自己威風，二來請諸葛亮進兵中原。

孫權同意，立即派出使者，向成都而去。

26

二

姜維獻書

　　東吳陸遜大破曹兵之後，報之孔明，請孔明乘勢出兵北魏。陸遜此舉，一來是爲了向孔明逞威風，二來是表示東吳和西蜀友好，還有一點，則是隱隱然有靜觀其變之意。

應變得宜故乘勢而上

　　蜀吳之間的友好，純粹是戰略上的需要，而這戰略是會因應天時地利人和來作改變的，總的來說，魏蜀吳是處於一個變局，是要隨時應變的——如果應變得不好，是很可能會出大問題的。

　　孔明當然有這種應變的能力。結果，他決定第二次出兵北魏。他的主要考慮是，第一，經過一番休養生息，自己的國力和軍力都大大增強；第二，他要完成劉備的遺志，一統大漢的河山；第三，既然是東吳提出這樣的一個要求，他便可以乘勢而上。

强攻不下另有大目標

　　孔明領三十萬精兵，直奔陳倉，因爲陳倉的正北就是軍事要道的街亭，只有得了這個地方，才可以安心北上。

　　北魏那邊，則以曹眞爲大都督，帶十五萬兵扼守。

守陳倉的是大將郝昭，另有虎威將軍王雙來支援，孔明連番進攻，攻了二十多天，還是破不了。在這個情況下，孔明只好問計於姜維了。

姜維的想法是，既然陳倉強攻不下，便另行設計，把對方的大都督曹眞捉住。曹眞一旦在手裏，其他的事情便好辦了。

姜維寫了一封信給曹眞，說自己本是魏將，不得已地投降給孔明，現在要將功贖罪，只要曹眞能親自帶兵前往，便可以擒住孔明，辦法是，曹眞見着敵兵，可以先行後退，姜維以舉火爲號，先燒蜀兵的糧草，曹眞在這個時候回身進攻，便會大功告成。

亮出孔明以誘出曹眞

姜維轉移方向來對付曹眞，這是對的。便是一般的球賽也往往是如此的，光是側重於某一方的進攻路線，對手是容易應付的，這個時候，來一個改變進攻路線，便可能會得到成功。曹眞、郝昭、王雙是一個整體，應該以整體來看待，特別是，曹眞是這個整體中的大都督，逮住了曹眞，要破郝昭和王雙，便不難了。

姜維本來就善於兵法，他在給曹眞的密函裏所獻的計謀，是合符了用兵之道的，所以作爲大都督的曹眞也容易入信，而且姜維又特別亮出了蜀方的主帥孔明，因

為有了孔明，要曹真親自領兵出戰，也便順理成章，否則，曹真便可能會懷疑，姜維是否另有所圖了。

小小破綻足以敗大事

做大事，除了要有膽色之外，一些關鍵的地方還得作細緻的鋪排，要沉得住氣，不然，「小不忍則會亂大謀」，大事也便會做不成了。

在成功辦妥一件大事的當前，卻偏偏需要慎密的思考和細緻的鋪排——這裏面必有些原屬是小事，這些小事，很容易因為沉不住氣而浮了起來，這樣便會露出破綻。正因為是大事，對手必也是一個幹大事的人，小小的破綻，也一定會給抓住不放，這末一來，大事也便給敗了。

在這之前，東吳周魴給曹休的一封密函，也是寫得照顧周全的，令曹休和司馬懿都看不出漏洞來，只是賈逵能夠跳出了那封信的範圍，從東吳的習性的這個角度去看周魴，才看得出問題來，但也無法一下子就藉此說服得了曹休和司馬懿。

接着周魴在和曹休的交手過程中，也一直表現得有大將之風，能夠很好地沉得住氣，因此帶來了陸遜的成功。

姜維送給曹眞的機會

　　曹眞看罷姜維的信，「便令回報，依期會合」。後來，曹眞的中護軍大將費耀卻說，讓他來替代曹眞去這一趟，會較為萬全些，這末一來，即使姜維有詐，也害不了曹眞。不過，事實上，這位費耀也高明不到那裏去，結果還是中了姜維所佈的局，最後是自刎而死。

　　問題是，姜維只是對付了費耀，而不是曹眞，連孔明也說他是「大計小用」。當然，這個評語多少也使我們再想一想，姜維所用的計，是不是大計。特別是，在逼使曹眞親自出馬這一步，姜維無疑是下了功夫，孔明也眞的亮了相，然而，在曹眞可以由費耀取代這一點上，我們看出了，姜維的火候畢竟還是差了一點，這才會有那末一個空檔，使曹眞得以走脫。這個機會，說到底，不是費耀給曹眞取得的，而是姜維送給曹眞的。

東吳使者來到成都，轉呈孫權之意。

此時，諸葛亮兵精糧足，正準備北伐，便派人向後主上了一道《出師表》。

臣輔朋盡瘁庶竭……而後已…

後主立刻派人到漢中去報知諸葛亮。

你轉告丞相，朕同意出兵。

諸葛亮點起三十萬精兵，派魏延作先鋒，直奔陳倉道口。

報！魏將郝昭在陳倉道口築了一座城池，防守很嚴。

陳倉是戰略要地，務必全力攻打。

魏延連攻數天，攻城不下。

架起雲梯，
火速攻城！

郝昭
防守密嚴，
陳倉無法
拿下。

我親自
率兵去
攻城。

雲梯皆被射下的火箭燒毀。

諸葛亮又用衝車之術攻城，巨石砸下，車毀人亡。

諸葛亮派兵挖地道偷襲，也被郝昭識破。

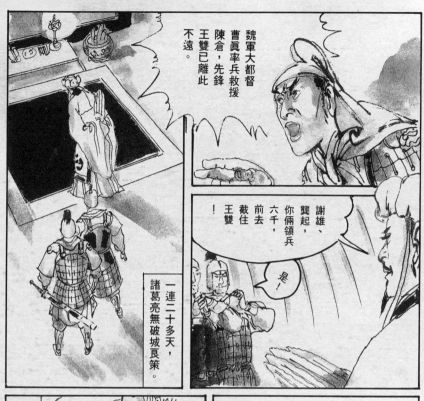

魏軍大都督
曹真率兵救援
陳倉，先鋒
王雙已離此
不遠。

謝雄、
龔起，
你倆領兵
六千，
前去
截住
王雙
！

是！

一連二十多天，
諸葛亮無破城良策。

不到三合，謝雄
即被王雙劈死。

龔起也死於
王雙刀下。

諸葛亮大驚，忙派廖化、王平、張嶷率兵一萬，再去迎敵。

廖化等也不是王雙敵手，被殺得大敗。

可如此這般，一定能活捉曹真。

諸葛亮召姜維商議對策。

好計！

王雙在陳倉城外紮下營寨，協助郝昭堅守陳倉。

諸葛亮派王平、李恢守街亭小路，魏延守陳倉道口，自己和姜維率大軍出斜谷向祁山進發。

36

是！

你把這封降書面交曹真。

小人是姜維的心腹，奉命來上密信。

好！你回去告訴姜維，我立刻進兵，依期會合。

我願裏應外合，放火燒毀蜀軍糧草，生擒諸葛亮。

姜維原是魏人，不得已才降蜀，無須多疑——

都督，要提防姜維使詐！

！好吧

都督不宜輕出！我願領兵接應姜維，如成功，功歸都督；若失敗，由我擔當！

37

眼看追上蜀兵，蜀兵卻不戰而退。

繼續追！

報！前面發現蜀兵。

費耀領兵五萬，向斜谷進發。

又追了一陣，兵困馬乏，正要休息，蜀兵卻殺了回來。

費耀領兵迎戰，蜀兵又退了回去。

這樣一連三次，費耀率兵追了一日一夜，疲憊不堪。

紮營休息，埋鍋造飯！

突然，殺聲震天。費耀慌忙上馬，率兵迎敵。

你去叫曹真來答話。

曹都督豈肯和你相見！

諸葛亮大怒，羽扇一招，馬岱、張嶷由左、右兩路殺出。

費耀揮兵後退。

等姜維燒了蜀軍糧草，再回兵掩殺。

退了三十餘里，費耀望見蜀軍背後火起，以爲姜維已動手燒糧，返身殺來。

蜀兵且戰且退。

魏兵趕到大火近處，關興、張苞兩軍殺出。

衝啊

殺啊

魏兵大敗。

40

費耀方知中計，帶領敗兵倉皇逃命。

費耀無路可走，自刎而死。

我本想活捉曹眞，沒想到你來替死，快下馬受縛！

剛到山口，被姜維迎面截住。

這樣好的計策，只殺了一個費耀，實在可惜。

遺憾的是曹眞未來。

諸葛亮連夜指揮蜀兵，殺出祁山，在山前下寨。

魏主曹叡接到前方敗訊,忙召司馬懿商議。

這肯定是司馬懿的主意,我可不聽他的!

曹叡派人下詔給曹真。

好吧!就這樣辦。

蜀兵缺糧,糧盡必會退兵。目前我軍只宜堅守,待蜀兵退時再追擊,可獲全勝!

曹真派孫禮用假糧車誘使蜀兵劫糧,被諸葛亮用計打得大敗。

曹真從此堅守不戰。

看來司馬懿是對的,我不該再戰。

42

蜀兵大勝以後，諸葛亮立即下令，退兵。

我軍缺糧，無法和魏軍相持，乘勢退兵，出其不意。

我軍大勝，爲甚麼反而退兵？

我已派人授魏延一條密計，王雙必死。

魏延在陳倉道口和王雙相持，如王雙追擊，怎麼辦？

密計一到，魏延立刻下令退兵，自己率二十五名騎兵，埋伏在魏營附近。

報！城外寨中火起！

王雙得到蜀軍退兵的消息，率兵追擊。

43

王雙怕失了營寨，慌忙退兵，被埋伏在林中的魏延一刀砍死。

魏延安然率兵退回漢中，向諸葛亮覆命。

諸葛亮犒賞三軍，養精蓄銳，等待時機，再出祁山。

曹真又聞王雙被殺，感傷不已，得了重病，只得回洛陽養病去了。

第二天，當曹真知道諸葛亮已經退兵，派兵追趕，為時已晚。

44

三

智取陳倉

時間與智慧的關係

　　孔明進軍北魏，首先要取得陳倉，但陳倉有魏之大將郝昭把守，孔明屢攻不下，然而軍中只有一個月的糧食，不利久戰。

不動還可一動即大敗

　　這個時候，孔明已有退兵回西蜀之意，然而又得找一個適當的時機，否則自己退兵之際，魏兵乘勢進攻，便是很吃虧的了。

　　本來，魏王曹叡聽從了司馬懿的意見，已經傳令下去：「切不可戰，務在謹守；只待蜀兵退去，方纔擊之。」可是，負責把守陳倉一帶的大都督曹眞卻擔心孔明不退兵，教人到祁山去用計，大破蜀兵。曹眞的這一個動作，立即被孔明把握住了。

　　郝昭死守不出，孔明一時沒有辦法，可是，曹眞那邊一動，孔明立即將計就計，殺得敵兵大敗，與此同時，他還命魏延先伏兵於敵方之虎威將軍王雙的營外，然後誘王雙追趕；王雙才離開營地，魏延的人便放火燒營，王雙急於回頭救火，魏延出奇不意地殺了出來，只一刀，便砍王雙於馬下。

大捷之際是退兵之時

王雙本來非常勇武，之前曾殺了孔明的幾員將領，是很難對付的，這次，孔明乘着敵我雙方的一個變化，調兵遣將，把這個王雙也一起解決了。

孔明大捷的時候也就是他退兵的時候。魏兵新敗，不敢正視蜀兵，這就是孔明退兵的最佳時機了。司馬懿對此也是有所估計的，他說：「吾軍勝，蜀兵必不便去；若吾軍敗，蜀兵必去矣。」可是，待到他的這句話傳到曹真那兒去的時候，蜀兵早已於兩天之前退去了。

以退爲進的大決斷力

「兵貴神速」，進是這樣，退也是這樣。有的時候，時間是比一切都來得重要的，搶得了時間，便一切都好辦了。魏延能一刀砍王雙於馬下也就是這樣，王雙想不到自己的營寨會起火，心慌意亂的跑回去，冷不防魏延猛喝一聲，自林中殺到面前，這樣，王雙的一身絕學根本來不及使出來，便一下子地死在魏延的刀下，魏延殺他，就像殺一個普通人那樣。

像這一個殺王雙的最佳時間，是經過一番部署，一番計算的。孔明退兵的最佳時間的到來，與此也大有相似之處。以進爲退，這話我們是常說的了，最難做得到

和不容易做得好的是，分明是打了勝仗，分明是向前踏進了，卻就在這個時候引退——這種決斷力是很不簡單的。多數人的做法是，既然真的勝了，便把先前退卻的部署放在一旁，無論如何都要乘勝追擊。

孔明蜀兵如天兵神將

孔明回西蜀之後，東吳的孫權登上帝位，孔明派人前往祝賀，同時請陸遜出兵伐魏，牽制司馬懿，孔明便三出祁山，要染指①長安。

這次，孔明的第一個目標，仍然是陳倉。他探知郝昭病重，便命魏延和姜維在三天之內領兵抵陳倉。原來，孔明的這個做法，為疑兵之計，使曹真不必急急增兵陳倉，而實質上，孔明命關興和張苞二將和自己一道，兼程趕至陳倉，郝昭想不到蜀兵會來得那末快，又急又驚，便病死了。如此這般，孔明便輕易得了陳倉。

孔明又令魏延和姜維二人不要卸甲，立即便領兵去攻打陳倉附近的散關，務要趕在對方增兵之前；能夠這樣，要得散關，便輕而易舉了。果然，散關的魏兵見到蜀兵，如見鬼魅，立即便跑光了。

會曉得，這不是一種高要求，甚至得說，這是一種必須。

　　倘從另一個角度看，我們如果要做大事，便得在多個方面作好準備，其中的一個重要項目，就是在氣量上多下功夫，如此才可以真正取得大的成就。

每戰之前均作好準備

　　孔明看見司馬懿親自領兵到來，便知道曹真一定是死了。孔明對司馬懿其實是有所顧忌的，他在與司馬懿對陣之前，已經對姜維與關興有所安排，作了很好的準備。每戰之前均作好準備，是孔明的一個習慣，不僅是對着司馬懿才如此的。

　　司馬懿與孔明先鬥陣法，結果是司馬懿輸了；接着司馬懿領軍衝殺過去，想不到姜維與關興分別率領軍隊自不同的方向攻了過來，蜀兵逐向魏兵三面圍攻，取得大捷，到了後來，魏兵僅餘下三四成兵力而已。

事業和前途的大滑坡

　　孔明初出道的時候是非常謹慎的，那時，我們還可以說，孔明輸不起，不得不那樣；到了他四出祁山的時候，條件已經好得多了，不管地位、權力、財力與物

力、經驗等等，都比過去的好得多，但是，他的謹慎，還是絲毫沒有改變的。

不少人就是自己駕馭不了自己，有了一點地位，有了一點權力，便變得囂張拔扈，甚至是目空一切，這末一來，不久之後，便會飛快地往下滑落，出現了事業和前途的大滑坡。

這個情況，在北魏的兒皇帝曹叡和西蜀的兒皇帝劉禪身上，也可以說是開始出現的，譬如劉禪，他聽了人家造了幾句謠，說孔明即將篡國，便立即要把孔明召回，使孔明無法把握眼前的大好機會。

小小運糧官的破壞力

劉禪自己當然不知道，他所下的一道詔書，對孔明，乃至對西蜀的前途會帶來多大的影響，他太不理解了，甚至對孔明也是不理解的。一個小小的運糧官所造的一個謠，便可以毀了一個國家的大好機會，這真是太可怕了。

然而，在我們生活裏，卻有許許多多類似這樣的事實，不少大事就是給一些無知而有權的人破壞了。無知而有權，那種權力，便往往會給一些人所利用，做出許多大大的壞事來。

②主客之勢互易：這裏指雙方攻、守的形勢發生了變化。

③佈下疑兵：佈下虛假的兵陣，以迷惑敵人。

過程一點兒也不複雜

那個小小運糧官苟安，因爲好酒，遲了十天，孔明打了他八十杖，他懷恨在心，跑到司馬懿那裏去；司馬懿許他以上將之職，要他回西蜀去散佈孔明要篡位的流言，苟安回到成都，對一個宦官說了，然後就由這個宦官對劉禪說了，過程一點兒也不複雜，但孔明就這樣要放棄一個極好的機會，回師西蜀。

這當然不是苟安或那宦官的本事，他們的本事與孔明相去太遠了，但他們卻能做到司馬懿所無法做到的事，這就是由於當中有一個無知但有大權的劉禪。讓我們再看得清一點：小小的苟安加上小小的宦官，再加上無知的劉禪，便使孔明無計可施，非要回西蜀不可。

沉着應付不損一兵卒

孔明退兵，還得冒被司馬懿追擊的危險。孔明本來可以乘勝追擊，突然之間，主客之勢互易②，孔明又無法很好地給部屬作解釋，如此在大好形勢之下退兵，士氣必然低落，面對司馬懿的追擊，一定是十分兇險的一回事。幸虧孔明仍然能夠沉着應付，以退兵卻在營內增爐灶的辦法，佈下疑兵③，迷惑司馬懿，終能不損一兵一卒地回到成都。

曹真死後，魏主曹叡下詔催司馬懿出戰。

司馬懿給諸葛亮下了戰書，雙方約定來日決戰。

好呀！你要鬥將？鬥兵？還是鬥陣法？

諸葛亮，今天我和你決一勝負！

第二天，雙方列下陣勢。

當夜！諸葛亮把姜維、關興喚進帳中。

你倆分頭……

先鬥陣法！

諸葛亮把羽扇一搖蜀軍立刻排成一陣。

你識得此陣嗎？

這是八卦陣，豈會不識？

識了便敢打！

你敢攻陣嗎？

司馬懿喚戴淩、張虎、樂綝三將。

你們帶精兵從正東生門殺入，往西南休門殺出，可破此陣！

是！

三將率兵從生門殺入，往西南方向衝去！

可八卦陣中變化無窮，哪裏辨得出方向。不一會便精疲力盡，全成了俘虜。

諸葛亮吩咐將他們衣服脫了，臉兒塗黑，放出陣去。

如此挫敗銳氣，還有甚麼面目回去見中原大臣！

司馬懿指揮三軍，向蜀陣奮勇衝殺。

司馬懿立即分兵迎敵，自己仍催軍向前攻打。

突然，關興率軍從魏軍陣後殺來。

忽然姜維又領兵從斜刺裏殺來。

殺啊　衝啊

蜀軍三面夾攻，魏軍死傷無數，大敗潰逃。

司馬懿退到渭水南岸紮營，堅守不出。

苟安是永安太守李嚴的部下，殺了他，只怕以後沒人敢送糧草了。

諸葛亮大勝，都尉苟安解送軍糧前來交割。

超限十天，推出斬了。

改打八十軍棍，逐出軍營！

你回成都去散佈流言，說諸葛亮要持功篡位，讓後主召回諸葛亮。

……

我一定照辦！

苟安懷恨，連夜帶了幾名親隨到魏寨投降。

苟安回到成都，四處散佈流言。

後主被流言所惑，下詔召諸葛亮回成都。

諸葛亮不想違抗後主旨意，下令分五路退兵。

各軍每天安營，必須掘灶。今日一千，明日二千，後日三千。添灶後才能退兵。

兵書上有添兵減灶之法，丞相退兵怎麼增灶？

司馬懿知我退兵，必然追趕。他見我增灶，便會疑我有伏兵，而收兵。

司馬懿得知蜀軍退兵的消息，果然率兵追趕。

灶。今天又比昨天多一千

諸葛亮詭計多端，今又添兵增灶，恐有埋伏，不能再追了。

直到蜀兵退盡，司馬懿才從土人那裏知道蜀兵從未添過一兵一卒。

我不如諸葛亮，竟被他瞞過了！

司馬懿也退兵回洛陽。

苟安已逃往魏國，諸葛亮便把散佈流言的宦官治了罪。

諸葛亮回到成都，很快查明事由。

蔣琬、費禕你倆也沒盡到覺察奸人，規勸天子的責任！

丞相責備得是！

於是，諸葛亮拜辭後主，返回漢中，準備再次出師伐魏。

漢丞相諸葛孔明

98

六

諸葛妝神

直 透 心 窩 的 「利 刃」

　　「諸葛妝神」這個故事，發生在孔明五出祁山的時候。

　　孔明五出祁山，還是未能得償所願，這裏面的原因是有很多的，第一次是因為馬謖言過其實，守不住軍事要地街亭；第二次是因為缺糧；第三次是孔明因張苞之死而病倒；第四次是皇帝劉禪受讒言所惑，召回孔明；第五次則是負責軍糧的李嚴因為來不及準備，誤了時間，便訛稱東吳與北魏結盟進攻西蜀，故孔明不得不退兵。

大敵當前的一致對外

　　孔明還要六出祁山，完成一統江山的大任。我們這裏可以看到，要成就一椿大事，確實不是那末簡單的。孔明五出祁山，都未竟全功，可以說都是內部出了問題；我們不妨作這樣的一個假設，如果內部沒有問題，孔明說不定是可以直搗長安的。然而這個假設恐怕也不容易成立，孔明五出祁山，都碰上內部有問題，我們便不能說這是巧合了，甚至，這事情還有着一定的普遍意義。

　　在一般的日子裏，要內外兼顧，難度也沒有那末大，往往是在要全力對外的時候，便會忽略了內部，內部便會出問題，牽制了對外的心力。我們習慣上有這末

一個說法，就是「一致對外」，甚至以為，大敵或大任當前，大家便會走在一起，視線都會集中在一個焦點上。這個說法的危險之處就是倒向了一端，抹煞了一些可能性。

百折不回和自我加強

　　大敵或大任當前，主要的負責人都會把目光對準那個焦點，這便會出現了一個空檔，讓一些人有機可乘；或者說，因為有了空檔，便吸引了一些人的視線投向這個空檔，接着便來了一些壞主意。像這樣的情況，是很可能出現的。

　　孔明也針對性地在內部作了一些處理，希望今後來自內部的阻力會少一些。不花精神把內部的事處理好，要做好外部的事，那是不可能的。孔明五出祁山之前，也接納了意見，把軍隊分為兩部分，互相換班，作為兵力的補充，有利於長遠作戰。

　　孔明也是在吸取經驗教訓。吸取經驗，靈活變通，如果能夠做到這樣，便是一種有力的改進。一統中國，肯定是一樁大事，得有百折不回的堅毅，還得不斷的自我加強，孔明正是這樣的。

司馬懿畏蜀如虎之機

孔明六出祁山，面對的還是司馬懿的軍隊。司馬懿也有他的本事，例如他早就料到孔明會割麥以補充軍糧，故此把守着麥田。孔明原來也有準備，他帶來了三輛一模一樣的四輪車，又讓姜維、馬岱和魏延三人各扮成自己的樣子，坐在車上，以迷惑司馬懿。司馬懿對孔明本來就是頗為顧忌的，這時見孔明在四周神出鬼沒，更是吃驚，便閉門不出──孔明便得以命三萬精兵把小麥割盡，運回鹵城去打曬。

這是孔明攻心之戰，他知道司馬懿對自己有畏怯之意（有司馬懿「畏蜀如虎」之說），便弄出幾個孔明來，務使司馬懿震慄，難以自持。

出城安營再急而攻之

司馬懿在隨後的一戰裏，同樣是大敗於孔明。

這時，孔明的士兵也到了換班之期，然而，也是就在此際，司馬懿自西涼請得援兵，還攻到鹵城來了。大家的意見是，士兵暫緩換走，先留下來對抗敵兵，但孔明不同意，他說，一來他調兵遣將，以信為本；二來，那些該回家的士兵，他們的「父母妻子倚扉而望①」，所以，孔明斬釘截鐵地說，他自己就算有大難，也決不留

下一個要回家的兵。

孔明這末一說，那些士兵大受感動，紛紛請戰，不要回家。孔明看到了這個情況，便說，如果要戰，宜先出城安營，待魏兵一到，不讓對方有休息的機會，立即急攻之，便可以取得大捷了。

孔明重視請戰的將士

結果正如孔明所料，請戰的蜀兵均勇猛非常，完全達到了急攻的效果，使魏兵大敗如山倒。

孔明以信為本的一番話，既是出自真意，復在那末一個時候說出來，便更能產生極大的效應了。孔明每每對請戰的將士都是較為重視的，因為有了強大的戰意，才能較好地執行他的戰略與戰術；當然，出色的戰略戰術，又能夠反過來使將士的戰意更濃。孔明出戰，勝望相當高，與此也是大有關係的。

這裏，我們也可以說，孔明所要的，是將士的心而不是將士的形體，他十分清楚的是，最好的兵法，如果欠缺了全心全意的執行者，那必是會大打折扣的。

兵法與戰意，必須相輔相成。

魏主曹叡派司馬懿前往祁山抵御。率兵前往祁山抵御。

蜀漢建興九年，諸葛亮第五次進兵祁山，北伐中原。

報！蜀軍正往祁山推進。前部先鋒王平、張嶷已由散關出斜谷而來。

諸葛亮遠征缺糧，一定會搶割隴上小麥，要速作防備。

他派先鋒張郃去守祁山，自己和郭淮率軍到天水各軍巡邏，防蜀軍割麥。

李嚴至今未把軍糧運到，現在只有設法搶割隴上熟麥，補充軍糧！

不久，諸葛亮率兵到達祁山，安下營寨。

魏軍已有準備，領兵的肯定是司馬懿。

鹵城太守一向敬重諸葛亮，開城投降。

諸葛亮留王平、張嶷等守祁山大寨，親自率軍去奪取鹵城，作為據點。

諸葛亮立即率軍來到隴上。

報！司馬懿領兵正在隴上巡邏。

我早已設下巧計……

司馬懿已有防備，怎麼辦？

諸葛亮吩咐軍士搬出三輛跟自己乘坐的一模一樣的四輪車。

有！

姜維、魏延、馬岱！

106

楊儀，你帶領三萬精兵，準備鐮刀、繩索，等候命令，搶割麥子。

是！

你們三人都扮作我的模樣，每輛車有二十四個人，披頭散髮，赤腳穿黑衣推車，率軍分三面埋伏。

是！

一切安排妥當，諸葛亮令關興扮做天神，手執旗旛，在自己的四輪車前開路，向魏營進發。

107

這是諸葛亮在裝神弄鬼，你們帶二千人馬，連車帶人，一起捉來。

是！

司馬懿親自出營察看。

天昏昏，霧茫茫。

我去報告都督。

啊！那是人，還是鬼？

魏將領兵上前諸葛亮便回車望蜀營緩緩而行。

108

諸葛亮能驅六丁六甲之神,這是「縮地法」,別追了!

魏兵追了五十里。

怪事?怎麼望得到,追不到。

這時,司馬懿親自率軍而來。

司馬懿正要回兵,左邊樹林中殺出一支蜀兵。

咦!奇怪!這裏怎麼還有一個諸葛亮?

109

忽然，右邊也殺出一支蜀兵，四輪車上也端坐着一個諸葛亮

這一定是神兵，快退！

一時軍心大亂，各自奔逃。

司馬懿驚慌失措，急忙領兵奔入上卦，不敢出城。

忽然一聲砲響，迎面一隊人馬衝來。

啊！怎麼又有一個諸葛亮？

原先迎風搖曳的麥子已被蜀兵割光，田野一片荒涼。

諸葛亮令三萬精兵，將隴上的小麥搶割精光，運回鹵城打曬。

三天後，司馬懿見蜀兵退去，才派軍士出城巡哨。

他們抓到一個掉隊的蜀兵。

111

你是幹甚麼的？

我是奉命割麥的，割完麥，我的馬溜跑了，所以掉了隊。

哨兵押着蜀兵來見司馬懿

你說諸葛亮率領的是甚麼神兵？

沒有神兵，全是人假扮的。先來誘陣的是丞相自己，其餘三個是姜維、魏延、馬岱扮的。

諸葛亮有神出鬼沒之機，我不如他！

七

木門道

用天時地利用計與用人

孔明第五次出祁山，終於還是以未竟全功、退回西蜀而告一個段落。

似是並不高明的密計

孔明退兵的時候，在木門道埋下伏兵，以攔阻司馬懿的追截。木門道的兩邊都是峭壁，孔明的密計是：「若魏兵追到，聽吾砲響，急滾下木石，先截其去路，兩頭一齊射之。」

這密計其實是沒有甚麼特別的。有了木門道，便成功了一半。這是不是說明了，便是孔明，也不外如是呢？

樸實無華與直接有力

不是。孔明授將士以密計的目的，不爲了表演，而是爲了取得勝利。用最簡單的辦法而能夠取得最大的勝利，那是最好的。「花拳繡腿」，中看不中用；孔明所追求的，是樸實無華、直接有力。

要直接有力，除了自己的努力之外，還不得不借助於天時和地利，就如孔明的那條密計，便完全是針對木門道而設計的，沒有木門道，這條密計便根本不能用。

反過來，我們可以說，有了天時和地利，便是事半

而功倍。司馬懿「畏蜀如虎」，這一方面是說明了他的不濟，另一方面，這也是說明了蜀軍確是有可畏之處——其中的一點，恐怕就是簡單直接了。

此空城有異於彼空城

　　孔明木門道的安排，就是爲了應付司馬懿的追兵。孔明自己是最後才退的，在退卻之前，還佈下了司馬懿所謂的「空城計」，不過，此「空城計」其實是有異於彼「空城計」的。馬謖失街亭一役，孔明在西城面對司馬懿的大軍，情勢是危急得多，他反其道而行之，大開城門，不讓司馬懿看到自己的一兵一卒，安坐城樓上彈琴；這一次的鹵城，只是「城上插旗，城中煙起」，孔明如果不這樣佈置一下，司馬懿反而會起了疑心，不來追趕，那便浪費了木門道和孔明的密計了。

　　孔明知道，司馬懿決不會錯過了這末一個大好的機會（孔明退兵，是因爲接到了運糧官李嚴所報告的東吳與北魏聯手，北魏要東吳起兵對付西蜀；在這末一個形勢下，司馬懿是更加會把握這末一個機會，大破蜀兵，以立大功的），帶領追兵的決非等閒之輩。

誰使張郃亡命木門道

結果司馬懿派的，是先鋒張郃，可以說，這也是孔明所希冀的。孔明曾經見識過張郃的勇猛，那是可堪與張飛匹比的，當時，孔明已經有除去張郃、為自己減少一股阻力之意了。

張郃是自動請纓的，但司馬懿知道此人性急，由他去追足智多謀的孔明，並不是那末理想的。司馬懿特別告誡了張郃，要他注意險阻處的伏兵，又說：「公自欲去，莫要追悔。」張郃說：「大丈夫捨身報國，雖萬死無恨。」司馬懿就這樣決定下來。我們完全可以說，這是司馬懿的失策，因為，這絕對不是靠着一句表示不怕死的話就可以解決問題的。怕死，固然不可以上戰場，可是，光是不怕死，那也是不行的，急躁的張郃，擺出了不怕死的格局，那是為了志在必得先鋒之位，是不會把司馬懿的「須十分仔細」這樣的話放在心上的。況且，司馬懿也沒有對張郃指出要特別注意木門道，而這正是作為主帥所不能不做的事，這方面，司馬懿是大大不如孔明的，孔明起碼要比司馬懿勤奮得多。

「殺的性起」的大危機

孔明派出關興和魏延輪番刺激張郃，使張郃恨得牙

癢癢的，到了後來，性急的張郃「殺的性起」，不作他想，直殺進木門道去了——結果，那就是他的死亡關。

張郃之死，司馬懿要負起最大的責任，而且，因為他錯用了張郃，不僅使張郃賠了性命，更大的損失，是沒有用好孔明退兵而加以追擊的這個機會。

孔明死李嚴大哭而亡

孔明回到西蜀，知道李嚴為了掩飾己過而弄虛作假，便把李嚴貶為庶人，但仍然用其子李豐為長史，後來，孔明因操勞過度而亡，李嚴知道了，也「大哭病死」，因為他固然感謝孔明不以他的犯錯而牽連其子，這在當時來說，那是很難得的，而且孔明更能任用李豐，那便更難能可貴了，還有的是，李嚴一直希望「孔明復收己，得自補前過；度孔明死後，人不能用之故也」。

用天時地利用得好，用計用得好，用人用得好，這樣的大家，可以說是難得一遇的。

他只能瞞過一時，今既已識破，還怕他甚麼？鹵城很小，蜀兵不多，你我前後夾攻，一定能擒住諸葛亮！

諸葛亮裝神弄鬼……

過了兩天，在天水巡邏的郭淮來到上卦。

這裏城低壕淺，黑夜進攻，敵人沒有防備，很快便能攻破。

司馬懿率兵來到城外。

司馬懿、郭淮兩人便分兵兩路，悄悄往鹵城進發。

118

初更時分，郭淮兵到。兩下合兵，把鹵城團團圍住。

諸葛亮早有準備。

魏兵在夜色掩護下，發起攻擊。

轟轟！

埋伏在城外的姜維、魏延、馬忠、馬岱從四面圍殺過來。

119

城內蜀兵也奮勇殺出。

衝啊

殺啊

魏兵大敗潰逃，死傷不少。

司馬懿和郭淮拼命突出重圍，敗逃回營。

司馬懿既不敢出戰，又無法退敵。雙方在鹵城相持。

衝啊

殺啊

○

蜀軍立即出擊。

西涼軍遠道而來，人困馬之，吾軍必勝！

司馬懿調大將孔禮率二十萬西涼兵前來助戰。

西涼兵被打得落花流水。

蜀軍正歡慶勝利時，負責運送糧草的李嚴派人送來急信。

東吳說興魏連和起兵攻蜀、

楊儀、馬忠兩人帶一萬人馬，去木門道埋伏……

是！

東吳入侵，不能不回。傳令全體人馬，退回西川。

魏延、關興你倆領兵斷後，把追兵誘入木門道。

是！

122

報！蜀軍突然退兵！

司馬懿來到鹵城察看，只見一座空城。

張郃追了三十多里，追上了斷後的魏延。

張郃，你率五千士兵前去追擊！魏平，你帶兩萬人馬接應。

雙方交鋒，魏延且戰且退

123

張部，關興在此！

張部，關興轉過山坡不見了。魏延又追了三十餘里，

張部怕有埋伏，派人進林偵察。

關興打不過張部，縱馬逃進一座密林。

報！林子裏沒有一個伏兵。

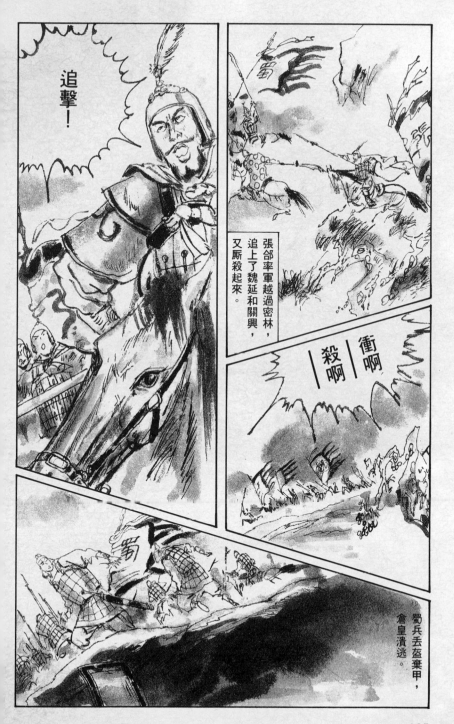

追擊！

張郃率軍越過密林，追上了魏延和關興，又廝殺起來。

殺啊
衝啊

蜀兵丟盔棄甲，倉皇潰逃。

125

張郃毫不起疑，率軍追進木門道峽谷。

魏延和關興帶着敗兵，逃往木門道峽谷中。

埋伏在山上的楊儀、馬忠指揮蜀兵滾下無數巨石，截斷了峽谷的兩頭通道。

轟

不好！我中計了！

放箭！

張郃和五千人馬全被射死在峽谷中。

魏平領兵隨後趕到，明知張郃中計，卻無法挽救。

我今日圍獵，本想射死一只「馬」，卻誤中一「獐」。你回去告訴司馬懿，他遲早也要被我擒住的。

於是，司馬懿領兵退回洛陽。

魏平回營，把張郃中計的事告訴司馬懿。

這是我的過失呀！

後主罷了李嚴的官，把他貶為平民。

諸葛亮回川後，方知李嚴因軍糧接濟不上，才謊報東吳犯蜀。

你這匹夫，為了一己之私，卻壞了國家大事！

諸葛亮屯兵漢中，積聚力量，準備三年後再伐中原。

128

八

木牛流馬

孔明所驅動的豈止是機械

孔明回到成都，休養生息三年，然後六出祁山，要達成未竟之志。

衝破重重困難再出師

劉備之子劉禪對孔明的六出祁山，也不大贊成，他的看法是，魏蜀吳相安無事，安享太平便可以了，為甚麼還要出師呢？

可是，孔明的想法卻不是這樣的。他受劉備所託，要重興漢室，這件大事一天未能達成，他就一天不能心安。甚至，人家對他說，天時不那末好，不利出師北魏，他也執意不聽。

與此同時，關雲長之子關興病逝，孔明固然傷心，而在軍力上，他又折了一員大將。到了這個時候，他手下的將領，較為突出的，就是魏延了；魏延這個人心術並不正，這一點，孔明也是知道的，但是他還是得用其勇猛，所以把他留下來。

有了腹地欠缺了人才

西蜀無疑是很好的一個腹地，可是，對孔明來說，全盛時期顯然是已經過去了，我們也愈來愈看得清楚人才的重要。劉備、孔明、關雲長、張飛、趙雲、黃忠，

有了足夠的人才，沒有腹地，可以有腹地；沒有錢財，可以有錢財；更重要的是，即使是在曹操和孫權的虎視耽耽下，還是可以得到很好的發展，最後更是鼎足而三。

劉禪所滿足的，就是這鼎足而三之局，與他的父親劉備一統天下的大志相比，自然是差了一大截，更談不上重興漢室了。

劉禪覺得差不多，可是在孔明眼裏，卻還是有許多事情要做的。於是，年過五十的他，再度率領三十多萬軍隊，六出祁山。

曹叡較劉禪勝了幾籌

曹操的孫子曹叡，任命司馬懿為大都督，策略上是堅守，待蜀兵的軍糧用盡了，自然便會退去。

曹叡授計司馬懿說：「卿到渭濱，宜堅壁固守，勿與交鋒。蜀兵不得志，必作退誘敵，卿慎勿追。待彼糧盡，必將自走，然後乘虛攻之，則取勝不難，亦免軍馬疲勞之苦：計莫善於此也。」

從曹叡的這一番話，我們也知道，這位皇帝可以說是入了兵法的門檻的，而又比劉禪勝了不止一籌。這大抵由於，劉禪是在孔明和趙雲等人的護蔭下長大的，而面對北魏，西蜀又可以說一直都處於優勢，這末一來，

劉禪便更加不思進取了。曹叡不同，孔明六出祁山，使他飽受威脅，不能不自強（甚至可以說是孔明幫了他作自強）。到了後來，曹叡還可以領兵作戰呢！

該怎樣看待木牛流馬

一個人，生於憂患，也是自有其好處的；至於在憂患中如何自處，則是另一問題。這首先與視野有關，像劉禪和孔明就是一個很好的例子，儘管是處在同一個環境當中，因為視野不同，觀感便可能是完全的迴異了。「先天下之憂而憂，後天下之樂而樂」，孔明庶幾近矣！

後來，孔明為了解決糧食供應的問題，製造了「木牛流馬」，這些用木製造的牛和馬，最大的特色，就是自己會跑動，但不必吃任何東西，用作運送糧食，特別是對在山區作戰的蜀兵而言，是最合適不過的了。有人說，孔明為甚麼要花力氣在這些機動的牛馬上呢？他應該管更大的事情。無疑，孔明有的時候管的事太小，但「木牛流馬」不是這樣。

木牛流馬的暗藏殺着

六出祁山，孔明可以說是一直都受到糧食的困擾，製造「木牛流馬」，是他處心積慮的結果。行兵遣將，欠

缺軍糧，是一個大問題，不然，曹叡的面授機宜，便不會有司馬懿堅守，以待蜀兵因缺糧而退兵之機了。另一方面，孔明的「木牛流馬」還是暗藏殺着的。

司馬懿知道了「木牛流馬」這回事，便命士兵搶了幾隻回來，之後再令巧匠仿造，果然不多久便製造出二千多隻來，與孔明的一個模樣，也可自如地給魏兵運送糧食。

孔明得軍中許多資助

在司馬懿的計算中，自己這樣做，起碼不會在糧食的運送上吃了大虧給孔明，首先是做到了這一步，然後再研究對付的策略。

孔明卻是連司馬懿的這一着也早就估計在內，他對諸將說：「吾正要他搶去：我只費了幾匹木牛流馬，卻不久便得軍中許多資助也。」原來，「木牛流馬」內漂有一個暗藏的機關，是司馬懿和他的巧匠未必看得出來的。孔明指出，只要把「木牛流馬」的舌頭扭轉了方向，那末，它們便再也不能行走了。

司馬懿的反方向而行

孔明派出士兵扮成魏兵，混入魏兵的運糧隊伍中，

趁機把魏兵殺散了，盡驅「木牛流馬」而回，如果魏兵來追，只要依法炮製，「木牛流馬」便不能動，魏兵便大疑，孔明再派人扮作神兵，及時出現，再啟動機關，「木牛流馬」便會再走起來——這個時候，魏兵便會以為「木牛流馬」是鬼神之物，不敢再追了。

　　事情一如孔明所料，蜀兵因為這樣便輕而易舉地得到了大量糧食；我們可以想一想，司馬懿辛辛苦苦地命人仿造了二千餘隻「木牛流馬」，原來最大的作用，就是把自己的糧食運給了孔明。

蜀漢建興十二年，諸葛亮率軍三十四萬，第六次出祁山，北伐中原。

魏主曹叡召司馬懿商議。

諸葛亮又出祁山，怎麼辦？

夏侯淵的長子夏侯霸、次子夏侯威武藝高強，三子夏侯惠、四子夏侯和深通兵法，臣願保舉他們同去破敵。

曹叡命司馬懿為大都督，夏侯霸、夏侯威為左、右先鋒，夏侯惠、夏侯和為行軍司馬，領兵四十萬前去迎敵。

135

司馬懿率軍來到祁山渭水南岸紮營，與蜀軍對峙。

郭淮、孫禮來見司馬懿。

你倆率隴西之兵在北原紮營固守，防備諸葛亮襲北原、斷糧道。

是！

是！

我明攻北原，你們暗取司馬懿大寨。

司馬懿識破了諸葛亮的計策，立即調派軍隊，幾路蜀軍全被擊敗，損失慘重。

第二天，費禕從
成都來。諸葛亮
便派他爲使，
前往東吳。

要擊敗
魏兵，
最好東吳
也能出兵
伐魏。

諸葛亮回到大寨，
因損失嚴重，
心中非常煩悶。

好極
了！

孫權
同意
立即
出兵
伐魏。

費禕回到祁山。

好！
我馬上
起兵
三十萬，
北征
曹魏！

費禕來到東吳見孫權。

138

報！魏將秦朗在外討戰，指名要鄭文出陣。

諸葛亮正與衆將商議進兵，魏軍偏將鄭文突然前來投降。

司馬懿徇私不公，提升秦朗爲前將軍，我心中不服，前來投効，望丞相收錄。

鄭文出營和秦朗交鋒，一個回合就把秦朗劈下馬來。

你如斬了秦朗，我就相信你是真降。

好！我馬上去殺了他！

139

鄭文回營。

推出
斬了！

小將
無罪！

丞相
饒命！
是司馬懿
派我前來
詐降。

我認識秦朗，
你剛才斬的是個
假的，若要活，
就說實話！

好吧！
你寫
一封信
騙司馬懿
前來劫營，
我就饒
你性命。

是！

二更時分，秦朗見蜀營火起，率兵衝進蜀營。

啊！空營，快退！

秦朗，今夜你帶一萬人馬前去劫營，我親往接應。

是！

司馬懿接到鄭文的信，信以爲真。

司馬懿的接應部隊也被殺得潰不成軍。

遲了！蜀兵從四面殺來，秦朗死於亂軍之中。

司馬懿帶着殘兵逃回大寨，從此堅守不出，靜等蜀兵糧盡回川。

可是，諸葛亮派工匠在葫蘆谷中造出了一批專門在山道運糧的工具——木牛、流馬。

木牛、流馬馱着軍糧，源源不絕地從屯糧的劍閣運往前線。

真巧妙！簡直像活的一樣！

司馬懿派人半路埋伏，搶了幾匹木牛、流馬回寨。

司馬懿立刻仿造了二千多匹，也用來運送軍糧。

報！諸葛亮用古今未有的木牛、流馬運糧……

啊

報！司馬懿用仿造的木牛、流馬，在隴西道上運送軍糧。

王平，你領兵一千，扮作魏巡糧軍……

是！

諸葛亮立即作出戰鬥部署。

張嶷，你領兵五百，扮作六丁六甲神兵……

是！

廖化、張翼，你倆領兵五千，去斷司馬懿來路！

是！

魏延、姜維，你倆領兵一萬，前去接應！

是！

143

魏將岑威領兵駕着木牛流馬運糧回來，遇到了王平的「巡糧軍」。

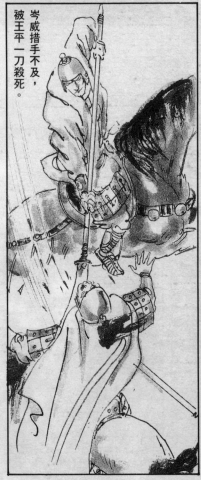

岑威措手不及，被王平一刀殺死。

王平率軍驅動木牛、流馬，奔往蜀營。

敗兵向北原營郭淮稟報。

報！軍糧被劫！

把木牛、流馬的舌頭扭轉，撤退！

郭淮領兵往救。

可任憑魏兵你推我牽，木牛、流馬卻紋絲不動！

別追！先把軍糧運回去！

突然，魏延、姜維領兵殺來，王平也領兵殺回。

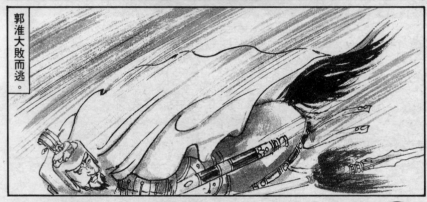

郭淮大敗而逃。

張嶷帶着「神兵」從山後擁出，將木牛、流馬舌頭、扭轉，驅趕而行。

奇怪！我們趕不動，他們怎麼一趕就走？

你看！那是神兵！

146

這時，司馬懿聞報軍糧被劫，親自領兵來救。

半路上，遇到蜀軍伏擊！

廖化、張翼在此！

魏軍猝不及防，被打得四散逃竄。

司馬懿，單槍匹馬，往一座密林逃去。

147

廖化追上司馬懿，司馬懿繞樹而逃。

廖化猛砍一刀，正砍在樹上。

司馬懿，你逃不了啦！

司馬懿，你往哪裏逃？

廖化揮刀緊追。

司馬懿逃出密林，脫下金盔，丟在東面，自己卻往西逃去。

148

廖化追出密林，拾起金盔，往東追去。

得了司馬懿金盔，記頭功！

廖化沒追到司馬懿，回營繳上金盔。

司馬懿逃回大寨，從此又堅守不戰。

九

火燒葫蘆谷

如何使司馬懿按兵法入陷阱

司馬懿面對孔明，幾乎是每出必敗，於是堅守不出，讓孔明缺糧，便自然退去，屆時便可以化被動為主動了。

踏看地理成為了習慣

孔明卻自有對策。一方面，他令西蜀兵與當地的魏民一起種田，軍一分，民二分，互不侵犯，作為長久之計；另一方面，他在葫蘆谷設下陷阱，要狠狠地對付司馬懿。

葫蘆谷又叫上方谷，那是孔明在祁山踏看地理時所發現的。踏看地理，是孔明的一個很好的習慣，多年來行軍遣將，他都很重視這個工作，也時有所得。

木牛流馬後的又一功

那天，他看見一個谷口，「其形如葫蘆之狀，內中可容千餘人；兩山又合一谷，可容四五百人；後兩山環抱，只可通一人一騎。」孔明見了大喜，詢問嚮導，知道那兒名叫葫蘆谷，又叫上方谷。

後來，孔明便命人在葫蘆谷祕密製造木牛流馬。這次，他卻是要利用葫蘆谷火燒司馬懿。

孔明自命善於火攻。他在葫蘆谷作了一番佈置，接

着便是要司馬懿自投葫蘆谷了。

①釜底抽薪：把柴火從鍋底抽掉。比喻從根本上解決問題。

司馬懿爲糧守爲糧戰

　　孔明讓祁山的蜀兵四出耕作，並且故意讓司馬懿知道他的這個部署，因爲，那無異於告訴司馬懿，他的堅守不出是沒有作用的；此外，孔明又故意讓木牛流馬在山上來回運糧，又讓司馬懿捉去一些木牛流馬和蜀兵——司馬懿向蜀兵了解情況，蜀兵便說，孔明不在祁山，在上方谷，那兒是一個儲糧之所，木牛流馬便是往上方谷運糧去的。

　　這便誘使司馬懿跑了出來。司馬懿堅守，目的就是讓孔明缺糧而退去，孔明現在旣種植糧食，還在上方谷屯糧，那末，釜底抽薪①之法，就是到上方谷去燒其糧草了。

攻其根本使首尾不接

　　孔明就是這樣的使司馬懿不請自來。

　　司馬懿當然也是懂得兵法的，他對將士說，因爲祁山是「蜀人之根本，若見我之，各營必盡力來救；我卻取上方谷燒其糧草，使彼首尾不接，必大敗也」，故將士取祁山，他卻前往上方谷，燒了孔明所屯之糧，那

末，孔明便不能再在祁山留駐下去了。

　　孔明和司馬懿都在糧草上着眼。當時的交通不便，軍隊的糧草常常是一個大問題，有的時候更成爲了焦點所在，這是可以理解的。

兵法運用上的大比拼

　　孔明不在祁山，故此司馬懿便可以放心讓自己的軍隊去進攻，與此同時，蜀兵都去救護祁山，上方谷便變得空虛，司馬懿往那兒攻過去，把握也便大得多。這是聲東擊西之策。

　　然而，司馬懿的一舉一動，孔明都有一番計算，或者可以說，他就是以兵法來掣肘司馬懿的。孔明更命令蜀兵，若司馬懿引兵而出，便去襲了他在渭南的營寨。

　　魏兵前去進攻祁山，蜀兵便作出要回師救應的樣子來，於是，司馬懿便放心地帶領二子和一衆兵馬攻往上方谷，要一下子便擊中蜀兵的心臟地帶。

奪人根本者失了根本

　　孔明派出魏延負責誘敵，只許詐敗，不許取勝——因爲孔明要的是大勝而不是小勝。上方谷（葫蘆谷）內並無伏兵，山上都是草房，司馬懿更加相信那是

孔明的屯糧之所了。魏延只帶得五百兵，且戰且退，司馬懿便追了過去。

後來，司馬懿走得近了，才看清楚，那些草房的上蓋盡放着乾柴，在他心中起疑的時候，山上已有人紛紛扔下火把，斷了退路，同時草房也變成了熊熊烈火，而且地雷也爆了起來，司馬懿只嚇得擁着二子大哭。就在這個時候，老天卻突然下了大雨來，救了司馬懿一命。

在祁山的魏兵，知道司馬懿大敗，渭南的營寨又失去，士無鬥志，只懂得往渭北的營寨逃去，同樣是大敗一場。

連屈辱也能接受下來

司馬懿在渭北的營寨傳令，諸將不得再提出戰，「再言出戰者斬」。

在這個情況下，不出戰，也是一個辦法了。

我們也不妨說，司馬懿這個人是比較沉着的，甚至一些屈辱，他也能夠泰然地接受下來——而這正是孔明認為是難以對付之處呢！

請都督下令，末將們情願戰死！

小不忍則亂大謀，不要理他們！

諸葛亮令魏延天天挑着司馬懿的金盔，到魏營前辱罵挑戰。

司馬懿，膽小鬼！司馬懿……

諸葛亮讓軍士和當地百姓一起種地，收成士兵取一份，百姓取二份，作出長久駐兵的假像。

司馬懿堅守不戰，我得設計誘他出戰……

葫蘆谷中已佈置完畢。

暗中，諸葛亮派馬岱在葫蘆谷建造木棚和草棚，埋下地雷、火藥。

你將葫蘆谷後路塞斷，若司馬懿伏兵到，任他入谷，然後放火！

是！

魏延，你領兵在葫蘆谷外埋伏，遇到司馬懿，許敗不許勝，引他入葫蘆谷後，往七星旗處撤退⋯⋯

是！

157

姜維、王平等奉命
假作屯田，等司馬懿
出兵，偷襲魏軍大寨。

高翔奉命帶着小羣
木牛流馬運糧，引誘
魏軍前來劫糧。

諸葛亮自引一軍，
到葫蘆谷紮營。

諸葛亮現在哪裏？

夏侯惠、夏侯和押蜀兵見司馬懿。

司馬懿果然中計，派夏侯惠、夏侯和領兵偷襲，接連俘獲了不少木牛流馬和蜀兵。

諸葛亮不在祁山大寨，你等明日領兵併力攻取祁山大寨！

是！

丞相料都督堅守不出，令我等四散屯田，他在葫蘆谷西十里安營，每日運糧屯於谷中。

159

祁山是蜀軍的大本營。蜀軍其他各營見大寨危急，必去救援。

那怎攻得下祁山大寨呢？

父親為甚麼反攻敵人後方？

是！

張虎、樂琳，你倆領兵一萬，在後救應！

父親英明！

我親自去燒葫蘆谷糧倉，使諸葛亮首尾不能相顧，豈非勝券在握？

第二天，魏軍發動攻擊，直撲蜀軍祁山大營。

葫蘆谷肯定兵力空虛，我們殺奔葫蘆谷燒糧。

其他各營的蜀軍紛紛出動，前往救應。

司馬懿休走，魏延在此！

剛到谷口，遇到魏延的伏兵。

魏

殺

司馬懿父子三人，一起上前接戰。

幾個回合後，魏延詐敗而走。

魏延引兵逃進葫蘆谷中。

魏延認準七星旗方向奔逃。司馬懿見魏延兵少，並不懷疑，緊追不捨。

報！
谷中沒有
伏兵，山上
都是草房。

司馬懿
追到谷口。

要防備
谷中有
伏兵，
探馬
先去
探察！

是！

司馬懿率軍進入谷中。

這確是諸葛亮
屯糧之處，
進谷燒糧！

163

這時，馬岱見魏延出了後谷口，立刻依計把谷口塞斷。

不好！草房裏都是乾柴，又中諸葛亮計了，快退！

晚了！山上向谷中射下無數火箭，地雷爆炸，烈火熊熊。

轟轟

轟轟

天哪！
我父子
三人今天
要死在
這兒了！

快尋路
突圍！

出口已
被烈火
封住，
無路
可走！

司馬懿下馬抱住
兩個兒子痛哭。

突然，狂風大作，
陰雲密佈，閃電亮處，
響起一聲驚雷……

傾盆大雨自天而降。

165

天救我也，快殺出谷去！

滿谷大火都被澆滅，地雷亦被澆濕。

馬岱在此，司馬懿，你逃不了！

雙方正在交鋒，張虎、樂綝率兵趕來救應。

馬

166

馬岱兵少，無力阻擋。

張虎、樂綝救出司馬懿父子，奔回渭南大寨！

攻擊祁山大寨的魏兵聽說司馬懿大敗，也急忙退兵！

可大寨已被蜀兵襲取。

蜀兵乘勝追擊，
魏兵死傷無數！

衝啊

殺啊

司馬懿收集殘兵敗將，
退到渭水北岸立寨。

謀事在人，
成事在天，
沒有預測天相，
才使司馬懿逃得
性命！可惜呀！

168

十

秋風五丈原

鞠 躬 盡 瘁 無 力 挽 狂 瀾

司馬懿因天降大雨，得以續命；孔明另擇營地，終於屯兵五丈原，再度挑戰司馬懿，甚至給司馬懿送上女服，羞辱他一番，可是，司馬懿就是只守不出。

以敵之戰意來敗敵人

司馬懿能守，可是一衆將領卻守不住了，說：「我等皆大國名將，安忍受蜀人如此之辱？請即出戰，以決雌雄。」自曹操挾天子以令諸侯開始，北魏都是視自己爲大國的，一個大國，一個名將，便成爲了沉重的負擔。常說的盛名之累，於此可見。

司馬懿面對這一個羣情洶湧的局面，只好把皇帝給抬了出來，說那是天子之命；可是衆將還是憤憤不平，司馬懿便給皇帝寫奏表請戰。

衆將戰意高昂，本來是可嘉的，甚至是可資利用的，然而，司馬懿知道孔明就是要他們出戰，那一定是有所準備的，這個時候衝了出去，後果一定是不堪設想的，甚至可以說，孔明正是要利用他們的戰意來戰勝他們。

安有千里而請戰者乎

曹叡和身邊的謀臣商量，知道司馬懿上表的用意，

便傳諭下去，不得出戰。司馬懿更把皇帝此諭傳遍軍中。

孔明說，這是司馬懿自己不願意出戰，但無法說服眾將，故此要借皇帝的諭旨來解決問題。司馬懿當然不會對孔明說出自己的苦衷，那末，孔明是怎樣知道的呢？或者，這是不是純屬小說家之言？對於這一點，我們得相信自己的判斷力。且看孔明的解釋，他說，「豈不聞：將在外，君命有所不受①。安有千里而請戰者乎②？」這是孔明的判斷，而他的判斷，在我們的判斷裏，無疑是合情合理的。孔明又說，司馬懿把諭旨在軍隊裏通傳，是故意要洩漏出來，「欲懈我軍心也」，這個判斷，也是有道理的。

坐而論道大事管得好

可是與此同時，孔明自己的健康也出了大問題，軍隊裏的主簿楊顒一針見血地指出，孔明無論大小事務，幾乎都要親自過問，那是太過操勞了。做大事的人，只管大事，甚至是只論大事，不具體去管，那反而能夠做得成大事。「古人稱坐而論道，謂之三公；作而行之，謂之士大夫」③，楊顒又說，漢朝的宰相丙吉春天的時候，看見路上有死傷者，而牛又在喘，丙吉問的是牛為甚麼會喘而不問死傷者，因為牛在春天時氣喘是表示天

① 將在外，君命有所不受：將領被派在外地作戰時，對於國君的命令有時可以不予執行。

② 安有千里而請戰者乎：哪裏有將領在千里之外去向朝廷請求出戰這樣的事呢？

③ 古人稱坐而論道，謂之三公；作而行之，謂之士大夫：古人說，坐着談論治國之道的，叫做三公。依據這些治國之道去制定政策和負責推行的人，叫做士大夫。

171

時不正，會影響一年的收成，是大事，他要過問；另一位漢朝的宰相陳平答皇帝問，說他不知道全國一年判決多少宗案件和收多少錢糧，因為像這樣的事情，有人具體去管，作為宰相，把羣臣管好，那就夠了。

客觀無情孔明未如願

孔明聽了，也指楊顒說得好，他亦不是不曉得管理上的分寸，他說：「吾非不知：但受先帝託孤之重，惟恐他人不似我盡心也！」

管理上，有的關鍵的事，是要管到底的，那才最見效果，像孔明這樣，則是被感情所因，希望事無大小都一把抓起來，便能夠加快完成重興漢室的大任，然而，客觀上，事情並未能如他所願，一是身體健康日差，二是六出祁山也沒有得到大進展。

接着，消息傳來，東吳由於進兵北魏不順利，已經退兵了。這對孔明來說，又是一個打擊，不禁昏倒於地。自此之後，他的健康便急轉直下，再也無法扭轉乾坤。死的時候，是五十四歲。

孔明死後辦妥兩件事

孔明死了之後，還做妥了兩件大事，第一，是以木

造的孔明像嚇退了司馬懿；司馬懿亡命奔走了五十餘里，最後還用手摸頭說：「我有頭否？」第二，他安排馬岱斬下了在孔明死後便謀反的魏延的頭。

孔明雖死，孔明猶在！

諸葛亮乘勝進駐五丈原，天天派人搦戰，魏兵堅守不出。

司馬懿吃了敗仗，龜縮在渭北大寨，更堅守不戰。

為今之計，唯有用激將之法，逼司馬懿出戰。須如此如此，冀可解除僵局。

司馬懿打開禮盒，裏面是婦人的頭飾和衣裙。

諸葛亮派使者給司馬懿送去一封信和一盒禮物。

諸葛亮把我看作婦人了。哈哈！收下禮物，款待使者！

司馬懿又羞又怒，但表面上卻若無其事。

司馬懿拆信。

仲達身為大將膽如鼠人如無膽出戰了打扮為歸人……

你們丞相平時飲食情況怎樣？忙嗎？

丞相每天早起晚睡，大小事情都親自過問，但吃得很少。

好！你走吧！

使者正欲離去時，司馬懿對衆將說話。

諸葛亮吃得少，事情那麼多，他一定活不長了！

176

唉！
司馬懿
可算
深知
我呀！

使者回到五丈原，
把經過向諸葛亮
作了稟報。

丞相是
太操勞了。
司馬懿的話，
發人深省，
望丞相
三思！

我不是
不懂要
愛護身體，
只是我受
先帝託孤
之重任，
惟恐我
不像別人
這樣盡心
呀！

在旁的文武官員，
無不感動得流下眼淚。

此後，諸葛亮自覺
神志恍惚。眾將也
只好堅守，不再出兵。

過了些日子，諸葛亮抱病在帳中理事，費禕忽然從成都趕來。

東吳三路大軍，均被曹叡殺敗。

東吳進兵的情況怎麼樣？

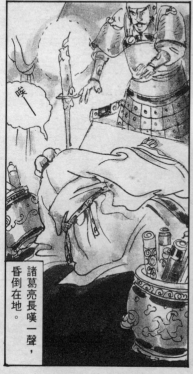

諸葛亮長嘆一聲，昏倒在地。

唉——

我心緒混亂，舊病復發，恐怕活不長了。

過了幾天，諸葛亮的病越來越重，他把姜維喚到床前。

這是我一生所寫的兵法，現傳授給你，望你多加努力！

謹受教！

這是「連弩法」的圖樣和用法，你可依法造用。你今後用兵，要特別小心陰平這個地方。

是！

……，我死之後，你可依計而行！

諸葛亮又叫馬岱進來。

不一會，楊儀進帳探病。

魏延反叛時，你可拆此錦囊，自有斬魏延之人。

我把兵符、印綬交給你代理。我死之後，魏延必反……

諸葛亮又交給楊儀一個錦囊。

179

諸葛亮又強撐病體，寫了一道自己病重的表章，連夜派人送往成都。

後主見到奏章，急忙派尚書李福兼程趕到五丈原。

我的兵法已傳給姜維，他可以繼承我的事業，為國効力。我命在旦夕，臨死之前，一定有遺表上奏天子。

陛下讓我代他向丞相問安。

......我不幸中途病倒，誤了國家大事

李福匆匆辭去，趕回成都覆命。

第二天，諸葛亮強撐病體，坐上四輪車，到各營巡視。

各營將士，都被諸葛亮「鞠躬盡瘁、死而後已」的精神感動得流下了熱淚。

蒼天啊！今後我再不能臨陣討賊了！

陣陣秋風吹來，諸葛亮感到渾身發冷。

181

退兵時，
後營先退，
再一營一營
地退。姜維
智勇雙全，
可以斷後。
如司馬懿
追來，可推出
我的木雕像
⋯⋯

楊儀一一答應。

諸葛亮回到帳中，
病勢更加嚴重，便
把楊儀喚來囑咐。

我死後，
千萬不可
發喪。但
軍中失去
主帥，
不宜用兵，
退兵爲上。

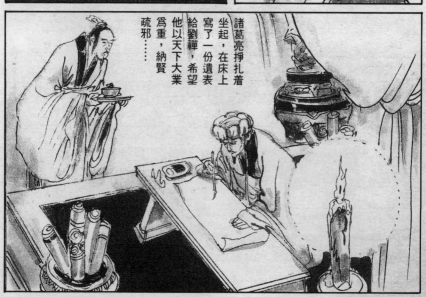

諸葛亮掙扎着
坐起，在床上
寫了一份遺表
給劉禪，希望
他以天下大業
爲重，納賢
疏邪⋯⋯

182

當夜，諸葛亮由人扶着走出營帳，想和將士們見上最後一面。

他在營帳外站了一會，不由又吐了幾口鮮血，暈了過去。

丞相，你醒醒！

眾將急忙把他抬回營帳。

我誤了國家大事了！

他見諸葛亮已不省人事，急得大哭。

這時，李福又奉後主之命從成都趕回。

我已知道你再次前來的意思了。

蔣琬可繼重任。

天子讓我來問丞相……

蔣琬
以後
呢？

費禕。

費禕
以後呢？
丞相……

……

諸葛亮不再
回答，他安詳地
合上了眼睛，
享年五十四歲。

楊儀和姜維根據
諸葛亮遺囑，不發喪，
不舉哀，將他秘密入殮。

昨夜三更，丞相已經逝世。這是兵符，請將軍在後面掩護大軍退兵。

你拿着兵符，去試探一下魏延的態度。

好的。

楊儀。

費褘來到魏延寨中。

現在誰代理執掌兵權？

186

我是南鄭侯征西將軍，怎能替楊儀斷後？

丞相剛死，將軍不可違抗遺命！

丞相雖死，我還沒有死。楊儀不過是個長史，怎能統率全軍？應該由我統率大軍去攻打司馬懿！

費禕略施緩兵之計。

事關大局，將軍千萬不可輕動，讓敵人恥笑。我回去勸說楊儀，將兵權交給你怎麼樣？

好吧！你快去！

187

於是，費禕令姜維斷後，一營一營地徐徐而退。

費禕回來，把情況告訴楊儀。

魏延反意已露，見丞相料事如神，足。

馬岱回來稟報。

姜維斷後，前軍已退入斜谷。

馬岱，你帶人去打聽一下消息。

魏延在寨中等了很久，不見費禕來回覆，心中十分疑惑。

楊儀欺人
太甚，
我一定要
殺了他！
馬岱，
你肯幫助
我嗎？

楊儀是個
無能之輩，
我一向恨
他。我願意
幫助將軍。

好！
我們也
立刻退兵，
燒斷棧道，
阻住楊儀
歸路。

於是，魏延、
馬岱率領本部
人馬，望
南而行。

報！諸葛亮死了，蜀軍正在退兵。

這一定是諸葛亮見我軍堅守不戰，用詐死誘我出戰，不能上當。

夏侯霸，你帶人去五丈原偵察一下。

是！

夏侯霸來到五丈原，五丈原已沒有一個蜀兵。

夏侯霸回營。

蜀軍已全部撤退。

諸葛亮真死了，快率兵追擊！

司馬懿率領大軍，直撲五丈原，殺入蜀寨，寨中已空無一人。

是！

司馬懿吩咐兩個兒子。

我領兵先追，你們隨後催軍趕來。

於是，司馬懿加鞭催馬，奮力追趕。

191

司馬懿追到一座山腳下，追上了蜀兵。

突然一聲炮響。

斷後的姜維指揮蜀軍掉頭殺來。

軍中緩緩推出一輛四輪車，車上坐着諸葛亮。

樹林中飄出一面中軍大旗。

不好！諸葛亮還活着！快退兵！

司馬懿嚇得心驚肉跳，回馬就逃。魏軍將士也個個喪魂落魄，各自逃命。

司馬懿，你中了我丞相的妙計啦！

今日好險，差點送了老命。

隔天，司馬懿才知道諸葛亮真的死了，那天看到的是個木雕像。

諸葛亮真是個奇才，我不及他！

於是，司馬懿下令退兵回洛陽。

姜維依照諸葛亮的遺計嚇退司馬懿後，領兵追上已退到棧閣道口的楊儀。

進了棧閣道口，他們換了喪服，揚起白旛，正式發喪。

蜀軍將士都失聲痛哭，悲慟欲絕。

報！魏延燒斷棧道，阻住了去路。

楊儀發過喪，率軍繼續退兵。

楊儀和姜維商議後，改走槎山小路，趕回漢中。

楊儀又派先鋒何平領三千人馬到棧道後去阻擋魏延。

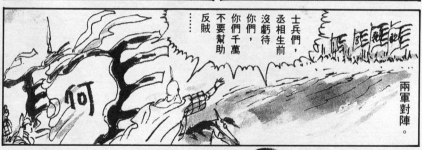

士兵們，丞相生前沒虧待你們，你們千萬不要幫助反賊……

兩軍對陣。

跟隨魏延的蜀兵紛紛散去

魏延怒不可遏，殺向何平。

兩人戰了幾個回合，何平詐敗而走。

魏延回陣，陣上只剩下馬岱和他手下的幾百名士兵。

將軍真心待我，事情成功了，我決不虧負你！

魏延策馬追來，被箭逼回。

去投降魏國，怎麼樣？

現在怎麼辦？

將軍英勇有為，可以自成霸業，怎能投降別人？我願助將軍先取漢中，再取西川。

好！

196

承相臨終給我一個錦囊，囑我在和魏延對陣時拆看，料承相必有安排。

魏延勇猛，又有馬岱相助，怎麼辦？

於是，魏延帶着馬岱來攻漢中。

原來如此……

哈哈！諸葛亮死了，我還怕誰？誰敢殺我……

兩軍對陣。

你有膽大叫三聲「誰敢殺我」我就獻出漢中！

我敢殺你！

馬岱從背後應聲而出，一刀斬了魏延。

馬岱和姜維等合兵一處，扶着諸葛亮靈柩回到成都。

全蜀擧國致哀。

後主又派人在沔陽造了武侯廟，一年四季哀祭。

後主親送諸葛亮靈柩到定軍山安葬，並追封諸葛亮爲忠武侯。

198